CHATO

OTROS LIBROS DE LA SERIE CACHORRITOS:

CACHORRITOS

CHATO

ELLEN MILES

SCHOLASTIC INC.
New York Toronto London Auckland
Sydney Mexico City New Delhi Hong Kong

Originally published in English as *The Puppy Place: Pugsley*
Translated by Ana Galán.

ISBN 978-0-545-23987-5

12 11 10 9 8 7 6 5 4 3 2 1   10 11 12 13 14 15/0

Printed in the U.S.A.   40

First Spanish printing, September 2010

A Eileen (gracias por la inspiración)

y a Ava Rose.

—E.M.

CAPÍTULO UNO

Perros.

Perros.

Perros.

Lizzie Peterson veía perros dondequiera que miraba. Perros grandes y perros pequeños, perros de pelo rizado, perros de orejas largas y perros con colas suaves y hermosas. Había perros que ladraban, perros que aullaban y perros que corrían por el suelo haciendo ruido con las uñas y mostrando los dientes de alegría.

Lizzie estaba feliz. No sabía a cuál abrazar primero, a cuál acariciar, a cuál elogiar. Así que intentó hacerlo todo a la vez. Se agachó a abrazar a un perro muy grande que era mezcla de pastor alemán mientras acariciaba con una mano la barriguita de un terrier blanco y marrón y le decía

"¡Felicidades, Max!" al labrador negro tan simpático que le había traído un payasito para enseñárselo. Era el cumpleaños de Max (cumplía dos años) y Lizzie había ayudado a prepararle una fiesta.

—A ti sí que te gustan los perros —dijo una señora que estaba cerca de Lizzie.

—Me encantan —dijo Lizzie, estirándose para acariciar a otro perro que se había acercado a verla.

Lizzie sonrió a su tía Amanda, la dueña del Jardín de Pipo. Amanda era alta y delgada y tenía el pelo rojo y largo. No se parecía en nada al padre de Lizzie, a pesar de que era su hermana pequeña. Tía Amanda y su esposo, tío James, habían vivido en California los últimos diez años, así que Lizzie apenas los había visto, salvo en alguna reunión familiar.

Por supuesto, Lizzie había oído muchas historias acerca de la obsesión de su tía con los perros, pero nunca había tenido la oportunidad de conocerla bien. Así fue hasta que ella y su tío se mudaron a Littleton. Tía Amanda acababa de abrir el negocio de sus sueños: una guardería para perros. ¡Y no estaba nada lejos de la casa de Lizzie!

—Y tú les encantas a los perros —añadió Amanda—. Lo puedo ver. Realmente tienes muy buena mano con los animales.

Lizzie sentía que iba a estallar de felicidad. Viniendo de su tía, ese comentario significaba mucho.

Lizzie había visitado el Jardín de Pipo por lo menos una vez a la semana desde que abrió. Era la primera guardería para perros en Littleton. Al principio, Lizzie no sabía muy bien qué era eso de una guardería para perros.

Amanda le explicó que era un lugar donde la gente podía llevar a sus perros durante el día. Allí los perros podían jugar, ser vigilados y conocer a otros perros. Así los dueños no tenían que dejarlos solos en sus casas mientras se iban a trabajar. Con la ayuda de sus empleados, Amanda cuidaba treinta perros al día, incluyendo los suyos propios.

Ella y tío James tenían dos perros muy simpáticos de raza pug que se llamaban Lionel y Jack, y un labrador amarillo adorable que se llamaba Pipo. Hasta ese momento, Lizzie no había conocido a ningún pug, pero en cuanto vio a Lionel y Jack, supo muy bien por qué a su tía le gustaban tanto. Los dos pugs estaban llenos de energía y tenían una cara arrugada lindísima y la cola retorcida. También eran muy cariñosos. Eran los perros más divertidos y lindos que Lizzie había visto jamás.

A Lizzie le encantaba hablar sobre perros con su tía Amanda, cualquier tipo de perros, no solo pugs. Por supuesto, su tía ya sabía que Lizzie y su familia cuidaban cachorritos que necesitaban ayuda hasta encontrar el hogar perfecto para cada uno de ellos. A la familia de Lizzie le encantaba hacer de familia adoptiva.

Lizzie también le contó a tía Amanda que una vez a la semana trabajaba de voluntaria en Patas Alegres, un refugio de animales. Un día, Lizzie se armó de valor y le pidió un trabajo a su tía.

—Tengo mucha experiencia —dijo—. Sé mucho sobre perros, pero quiero aprender más.

Lizzie sabía que era demasiado joven, pero incluso una chica de cuarto grado podía ser de gran ayuda cuando se trataba de cuidar a treinta perros.

—Haré lo que sea —dijo—. Ni siquiera me tienes que pagar. Solo quiero estar aquí.

—A mí me encanta tenerte aquí —contestó su tía Amanda—. Eres una gran ayuda. ¿Qué te parece si hacemos lo siguiente? Empezaremos con una tarde a la semana. Una vez que veamos cómo van las cosas, a lo mejor puedes venir más a menudo.

Y este era el primer día de Lizzie. Amanda le sonreía a su sobrina y le decía que estaba haciendo el trabajo muy bien.

—Ya veo que vas a ser una buena ayudante, Lizzie. A lo mejor, si se apuntan muchos perros, me tienes que acompañar un fin de semana al Campamento de Pipo.

¡El Campamento de Pipo! Lizzie no podía creer lo que estaba oyendo. Desde que había oído hablar por primera vez del Campamento de Pipo, se moría de ganas de ir. ¿Qué podría ser más divertido que pasar un fin de semana rodeada de perros? Cuando tía Amanda y tío James se mudaron a Littleton, compraron una cabaña en el campo. Todos los fines de semana se llevaban a cinco o seis perros a su casita de campo. Los perros podían correr en una zona vallada, nadar en el río e incluso hacer manualidades, como si fueran niños en un campamento de verdad.

Ir al Campamento de Pipo sería, en fin, lo mejor que le había pasado a Lizzie en su vida.

Bueno, lo mejor después de que la dejaran quedarse con Chico. Lizzie sonrió y pensó en el pequeño cachorrito de color marrón que tenía en casa. Su familia había cuidado muchos perros y ella y sus hermanos, Charles y Frijolito (cuyo verdadero nombre era Adam), siempre querían quedarse con todos y cada uno de ellos. Pero sus padres decían que la familia no estaba lista para tener un perro permanentemente. En ese entonces Frijolito era muy pequeño y necesitaba mucha atención. Además, a su madre le gustaban más los gatos.

Entonces apareció Chico. Lizzie había conocido a una perra llamada Skipper y a sus tres cachorritos, Canela, Coco y Chico, en el refugio de animales. La familia Peterson trajo a la perra y a sus cachorros a su casa con el fin de encontrarles un buen hogar. Lizzie se puso muy contenta cuando Canela y Coco encontraron quien las adoptara, pero no fue igual con Chico.

Chico era especial. Cuando nació, era un cachorrito muy pequeño, el menor de su camada. Necesitaba mucho cariño y atención. Todos se enamoraron de Chico: Lizzie, Charles, Frijolito, el papá de los niños y —especialmente— la mamá. Y cuando llegó el momento de encontrarle un hogar permanente a Chico, la familia decidió que se quedaría con él. Ahora Chico era parte de la familia.

Chico ya era un poco mayor, pero seguía siendo el perrito más adorable y dulce que Lizzie había conocido. Le encantaba su pelo suave y sus orejas sedosas, y le gustaba mucho darle besitos en la marca en forma de corazón que tenía en el pecho. A Lizzie le divertía sacarlo a pasear y enseñarle nuevos trucos —el último era tumbarse boca arriba— y disfrutaba sentarse junto a él en el sofá y acariciarlo mientras leía su libro preferido. Lizzie adoraba a Chico.

Pero ¿sería capaz de estar sin Chico durante todo un fin de semana mientras visitaba el Campamento de Pipo con tía Amanda y tío James? Bueno, siempre y cuando supiera que su perro estaría en casa cuando ella volviera, sí podría.

—Sería increíble —dijo a su tía—. Me encantaría ir al Campamento de Pipo.

—Bueno, ya veremos —dijo Amanda—. Ahora mismo, tenemos muchos invitados en la fiesta. ¿Quieres ayudarme a calmarlos?

Lizzie se puso de pie y se sacudió las manos.

—Por supuesto —dijo.

Justo entonces, la puerta de la zona de juegos se abrió.

—¡Amanda, están aquí! —dijo Josie, uno de los ayudantes.

Cuatro perros entraron por la puerta a la zona de juegos donde Lizzie y su tía estaban esperando. Un golden retriever que se parecía mucho a Pipo entró despacio, olfateando el aire. Otro perro, sin una raza definida y de color marrón y negro, lo acompañaba moviendo sus orejas largas. Un caniche de color chocolate entró elegantemente detrás, mirando de un lado a otro. Y entonces, ¡zum! Lizzie se echó a reír al ver a un pequeño perro de color negro y crema pasar a toda velocidad por al lado de los otros y empezar a corretear por la sala de juegos, del gimnasio al tobogán, luego al subibaja y otra vez al gimnasio. ¡Era un pug! Olfateaba sin dejar de mover la nariz y movía su colita retorcida. Dio tres vueltas antes de pararse a oler la mano que le extendió Lizzie.

—¡Qué lindo! —dijo Lizzie, agachándose para acariciar las orejas negras y aterciopeladas del cachorrito. Su cuerpo color crema temblaba de alegría al lamerle los dedos—. ¿Quién es? —le preguntó a su tía Amanda.

Amanda miró hacia el techo y movió la cabeza sonriendo.

—Este —dijo— es Chato. También conocido como Don Pesado.

CAPÍTULO DOS

—¡Chato! —Lizzie se echó a reír—. Excelente nombre. ¡Y es tan lindo!

Lizzie no podía creer lo suaves que eran las orejas de Chato. Le encantaba la expresión dulce de su cara arrugada.

Amanda puso los ojos en blanco.

—Sí, muy lindo —dijo—. Ya sabes que me encantan los pugs, pero Jack y Lionel son unos caballeros. Chato es... —tía Amanda se detuvo—. Bueno, digamos que el nombre Don Pesado se lo pusieron por algo. Chato da mucho trabajo; es todo lo que puedo decir.

—Pero es solo un cachorrito, ¿no? —preguntó Lizzie.

Ella seguía acariciándole las orejas, pero Chato no paraba de mirar a Josie, que le estaba poniendo un gorro de cumpleaños a Max. El pequeño y fuerte cachorrito empezó a temblar de emoción.

Me encanta ese gorro. Quiero ese gorro. Voy a quedarme con ese gorro en cuanto tenga una oportunidad. ¡Ya verás! ¡Ya verás! ¡Ya verás!

Amanda asintió.

—Solo tiene seis meses —dijo— y sus dueños lo adoran. Pero casi no lo han entrenado y se nota. No se hace pipí en casa, pero eso es todo. Siempre se porta mal. Y cuando se porta así, lo mejor es ignorarlo. Es...

Justo entonces, Chato salió disparado como un cohete, directo hacia Max. Apenas aminoró la velocidad al llegar al perro grande. Pegó un salto para agarrar el gorro de cumpleaños con los dientes y siguió corriendo con el gorro hacia la puerta de salida.

—¡Chato! —gritó Amanda—. Trae eso aquí...

Josie corrió hacia la puerta para asegurarse de que estaba cerrada.

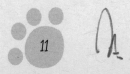

—No puede salir —gritó.

—No estés tan segura —dijo Amanda. Se volvió hacia Lizzie—. Don Pesado se ha escapado ya cuatro veces desde que empezó a venir aquí. Realmente no se le puede quitar la vista de encima.

—¿Y qué pasa con tu norma de "a la tercera te eliminan"? —preguntó Lizzie.

Amanda tenía normas muy estrictas respecto al mal comportamiento de los perros. Al igual que en el béisbol, a cada perro le daban tres oportunidades, tres oportunidades para portarse mal. Si un perro se portaba mal más de tres veces —agredía a otros perros o a alguna persona, se escapaba, le robaba algo a otro perro o rompía cualquier otra norma de tía Amanda—, no podía volver al Jardín de Pipo.

Amanda se sonrojó.

—Bueno —admitió—, supongo que tengo cierta debilidad por los pugs. Y es que Chato tiene algo muy especial. Es muy travieso, pero es tan lindo. No hago más que darle oportunidades.

En ese momento, Lizzie vio que Chato había salido volando hacia la sala de la siesta, que estaba llena de rincones acogedores para los perros que deseaban descansar. Había literas y camas redondas de perro y tres sofás viejos con mantas por encima. A algunos perros mayores les gustaba pasar casi todo el día durmiendo en la sala de la siesta mientras que los otros perros jugaban y corrían por ahí.

La sala de la siesta era un sitio tranquilo y silencioso. Hasta que Chato decidió entrar allí, claro está. Empezó a saltar de una cama a otra, despertando con sus ladridos a todos los perros que estaban durmiendo. Le saltó encima a Hoss, un gran danés al que le gustaba pasar toda la tarde durmiendo en el sofá.

¡Despierten! ¡Arriba! ¡Vamos a divertirnos! ¡Miren el gorro que encontré!

—¡Es como si les estuviera diciendo que es la hora de la fiesta! —dijo Lizzie sin parar de reír.

A Hoss no le pareció tan divertido.

Amanda intentaba disimular la risa.

—Bueno, supongo que tiene razón —dijo—.

13

Definitivamente es la hora de la fiesta. Vamos a sacarlos a todos para que jueguen y coman pastel.

Agarró a Chato y le quitó el gorro de Max de la boca. Lizzie vio que su tía también le dio un besito al perrito en la nariz.

Lizzie ayudó a organizar los perros y llevarlos hacia la puerta de atrás, que daba a una zona de juegos vallada. No era fácil hacer que todos los perros fueran al mismo sitio. Algunos deseaban salir y correr y daban alegres ladridos y movían la cola. Pero otros parecían estar confundidos y no sabían adónde ir o preferían quedarse dentro. Hoss, el gran danés, no paraba de darse la vuelta y volver a la sala de la siesta.

Amanda se rió.

—Es como llevar un rebaño de gatos —dijo moviendo la cabeza.

Lizzie no entendió muy bien lo que había dicho su tía hasta que se imaginó intentando guiar a un montón de gatos testarudos. ¡Con los perros ya era bastante difícil! ¿Cómo sería con los gatos? Entonces se echó a reír.

—Voy a traer a Hoss —dijo—. ¡Parece que la fiesta va a empezar con o sin nosotros!

Se oían los ruidos que provenían del jardín: globos explotándose y perros ladrando y aullando. Cuando Lizzie consiguió arrastrar a Hoss hasta la puerta, vio lo que estaba pasando. Chato, el adorable pillo, robaba globos más rápido de lo que Josie los podía inflar. Cuando los agarraba, se los llevaba empujándolos con la cabeza, como si fuera un jugador de fútbol, salvo que los jugadores de fútbol no se tiran encima de la pelota y la aplastan con la barriga hasta que explota.

Cada vez que explotaba un globo, Max, el perro del cumpleaños, se escondía debajo de la mesa del pastel, empujando sin querer su gorro de cumpleaños hasta que le quedó de lado, lo que le daba un aspecto muy gracioso. Cuando Josie, Amanda y Lizzie lo vieron, soltaron una carcajada. Eso hizo que Chato se emocionara más y robara otro globo y empezara todo otra vez.

¡Yupi! ¡Qué divertido! ¡Vengan todos! ¿Qué esperan? ¡Este juego es el mejor!

—¡Ay, ay, ay! —dijo Amanda, muerta de risa—. No me quiero reír, pero no lo puedo evitar. Lizzie, ¿podrías recoger los trozos de globos rotos? Tenemos que tener mucho cuidado de que no se los coman.

Amanda cocinaba todos los días algo especial para los perros del Jardín. A veces metía un pavo en el horno o hacía pasteles de hígado. Lizzie sabía que los pasteles de chocolate eran muy dañinos para los perros porque se podían enfermar si los comían. Pero los pasteles de hígado les sentaban bien y, aunque Lizzie no se podía imaginar comiendo uno, a los perros les encantaban. También Amanda les encantaba y, casi siempre, la escuchaban y obedecían.

Todos menos Chato. Durante las tres semanas siguientes, Lizzie llegó a conocer a Chato muy bien. No podía creer la cantidad de problemas en los que se metía el cachorrito. Lizzie trabajaba en el Jardín de Pipo todos los miércoles y Chato se portaba peor

que nunca esos días; era super divertido, pero también muy travieso.

Un viernes por la tarde, Lizzie pasó por el Jardín de Pipo para ver si podía ayudar en algo. Cuando estaba limpiando una caca de perro que había enfrente de la oficina de Amanda, llegó uno de los dueños de Chato, un señor llamado Ken, que había ido a llevar al cachorrito al jardín.

—Mira —oyó Lizzie que le decía Amanda a Ken—, realmente no puedo seguir haciendo excepciones con Chato. Si no empieza a portarse mejor muy pronto...

Ken la interrumpió.

—Lo sé —dijo—. Has tenido mucha paciencia, pero si tú no has sido capaz de entrenarlo, no sé quién va a poder hacerlo. Da tanto trabajo que ya no sabemos qué hacer con él. —Se quedó callado durante un momento. Después soltó un suspiro—. De hecho —dijo—, hoy será el último día que tendrás que cuidarlo. Hemos decidido donar a Chato; mañana lo llevaremos al refugio de animales.

CAPÍTULO TRES

—¡No! —gritó Lizzie y se tapó la boca.

Al fin y al cabo, ella estaba escuchando una conversación ajena. No estaba bien escuchar las conversaciones de otras personas. Sus padres se lo habían enseñado. ¡Pero no lo había hecho a propósito! Aun así, era mejor que mantuviera la boca cerrada. Nadie le había pedido su opinión.

Por suerte, Ken no pareció haberla escuchado. Salió unos minutos más tarde, después de darle un besito de despedida a Chato, que se quedó quieto por primera vez, observando cómo se iba su dueño. Lizzie no podía soportar la mirada triste en los grandes ojos marrones del cachorrito. Lo levantó en brazos y le dio un beso. Después lo puso en el suelo.

—Ve a jugar, gordito —dijo—. No te preocupes. Nosotros te queremos mucho.

Amanda salió de la oficina y vio la cara de preocupación de su sobrina.

—Supongo que escuchaste —dijo.

Lizzie se quedó mirando sus zapatos y asintió.

—Lo siento, no quise escuchar la conversación.

—No importa —suspiró Amanda—. Sé que te sientes igual que yo con respecto a lo de Chato. Puede que sea un pesado, pero es muy dulce. No quiero que vaya al refugio.

Lizzie movió la cabeza.

—Yo tampoco. Bueno, yo trabajo en el refugio de voluntaria y sé que es un buen sitio. A la Srta. Dobbins le gustan los perros tanto como a ti, pero en Patas Alegres hay demasiados perros y gatos y muy poca gente para prestarles la atención que merecen.

—Lo sé —dijo Amanda—. Además, los perros que se quedan con nosotros durante el día, por lo menos vuelven a sus casas en la noche, duermen en sus camitas cómodas y están con sus dueños que los quieren mucho. En cambio, los perros del refugio duermen solos, en sus jaulas. Eso me entristece.

Lizzie vio que a su tía se le llenaban los ojos de lágrimas mientras pensaba en los pobres perros del refugio. Notó que a ella también le salían lágrimas. Entonces recordó cuántas veces había salido del refugio al final del día, sintiendo mucha lástima por los perros y por no poder llevárselos a casa.

En ese momento, Amanda movió la cabeza.

—Aun así, no puedo dejar que Chato siga molestando al resto de los perros. ¿Viste cómo les robó a todos los juguetes la última vez que estuviste aquí? Se pasó toda la mañana apilándolos en un montón debajo del tobogán. ¡Al final del día tenía al menos diez juguetes ahí!

Lizzie asintió.

—Sí, lo vi —dijo.

También había visto a Max y a otro perro, Ruby, olisqueando por todas partes, buscando sus juguetes. Don Pesado siempre causaba problemas. De eso no había duda. Pero aun así... Chato era solo un cachorrito. No sabía cómo portarse bien porque nunca nadie le había enseñado a hacerlo. A lo mejor ella podía ayudarlo a convertirse en un perro que alguien querría tener.

—¿Y qué pasaría si yo lo entrenara los días que estoy aquí? —le preguntó Lizzie a su tía Amanda.

Amanda negó con la cabeza.

—Creo que Ken habló muy en serio. Chato no volverá más aquí —dijo y le puso una mano a Lizzie en el hombro—. Sé que estás preocupada y yo también lo estoy, pero realmente no hay nada que podamos hacer. Vamos a ver qué están haciendo todos. Creo que es la hora de salir afuera a jugar.

Lizzie intentó sonreír. Le encantaba sacar a los perros al patio de atrás.

—¿Puede venir Chato? —preguntó.

—¡Por supuesto! —contestó Amanda con una sonrisa—. ¿Qué sería de la hora de jugar sin el famoso Don Pesado?—. Entonces su sonrisa se desvaneció.

Lizzie sabía lo que estaba pensando su tía. Y ella también lo creía: el Jardín de Pipo no sería el mismo sin Chato. Sí, sería mucho más tranquilo, pero no sería tan divertido.

—¿A que tía Amanda tiene toda la razón, Don Pesado? —dijo Lizzie cuando encontró al pug en la sala de la siesta.

Por una vez, el cachorrito estaba calmado, acurrucado al lado de Hoss en la litera de abajo. ¡Se veían tan lindos juntos! Lizzie se sentó un momento para acariciar al pequeño pug y al gigantesco gran danés. ¡Hacían una pareja de lo más cómica!

Tía Amanda le había dicho a Lizzie que cuando abrió el Jardín de Pipo, pensó que sería una buena idea separar a los perros grandes de los pequeños. ¡Pero los perros querían estar juntos! Lloriqueaban junto a las puertas que los separaban hasta que su tía Amanda ya no pudo más y los dejó juntarse. Desde entonces, los perros grandes y los pequeños se peleaban, jugaban y dormían juntos sin ningún problema.

Cuando Lizzie empezó a acariciar a Chato, el perrito saltó y empezó a estornudar. Lizzie se rió. Entre los pugs de su tía Amanda y este, se estaba empezando a acostumbrar al comportamiento típico de estos animales. ¡Eran muy cariñosos! Les encantaba que los abrazaran y los acariciaran. Se la pasaban olisqueando, haciendo ruidos con la nariz y estornudando. Sus divertidas caras siempre estaban cambiando y sus ojos saltones no se perdían nada.

—¡Ya, Chato! ¡Para!

El cachorrito se había subido encima de Lizzie y le estaba lamiendo toda la cara, resoplando suavemente mientras movía su colita retorcida sin parar.

¡Le gusta! ¡Le gusta! Se nota. Cree que soy muy simpático. ¡Porque lo soy! ¡Soy el más simpático! ¡Soy el perro más simpático del mundo! ¡Mira esto! La voy a lamer más y hacerla reír más todavía.

Lizzie se estaba riendo tanto que apenas podía respirar. Tomó al cachorrito en sus brazos.

—Vamos. Es hora de salir. ¡Tú también, Hoss!

La chica le dio un empujoncito al gran danés. Este se levantó, gruñendo un poco, se estiró y salió lentamente de su cama.

Una vez afuera, Lizzie puso a Chato en el suelo. Sin parar de sonreír, observó mientras correteaba por todo el patio. Iba disparado de un lado a otro, metiéndose entre los otros perros, ladrándole a uno, dándole mordisquitos en el hocico a otro, hasta que consiguió hacer que todos se animaran.

¡Eso es! ¡Vamos a divertirnos! Se hace así. ¡Primero vas hacia allí y después hacia allá! ¡Luego agarras un juguete y lo agitas! ¡Entonces te lanzas contra un amigo! ¿Ves? Entonces vuelves a correr para aquí y para allá, y vuelves a agarrar un juguete y a saltar. ¡Yupi!

Lizzie movió la cabeza mientras lo observaba. Chato sabía cómo divertirse y quería que todos los demás también se divirtieran. Puede que diera mucho trabajo, pero era muy simpático. De repente, Lizzie se dio cuenta de que no iba ser capaz de decirle adiós al travieso cachorrito.

—Tía Amanda —dijo Lizzie mientras observaba a los perros jugar—. ¿Qué pasaría si mi familia se quedara con Chato? ¿Lo dejarías venir al Jardín de Pipo?

Amanda se volvió para mirar a Lizzie.

—¿Se quedarían con él?

Lizzie asintió.

—Solo por un tiempo, claro. Sabes que papá va a decir que sí. Solo tengo que convencer a mamá —dijo—. Creo que Chato estaría mucho más feliz con nosotros que en el refugio. Podemos entrenarlo y luego encontrarle un buen hogar.

Amanda cruzó los brazos.

—¿Qué puedo decir? —respondió—. Si estás dispuesta a quedarte con Don Pesado, ¿cómo no lo voy a dejar venir aquí cuando tú vengas a trabajar? Y, a lo mejor, si todo sale bien, incluso podría venir al Campamento de Pipo con nosotras.

—Trato hecho —dijo Lizzie extendiendo la mano.

—Trato hecho —dijo Amanda.

Tía y sobrina se dieron la mano.

—Ahora —dijo Lizzie—, todo lo que tengo que hacer es convencer a mamá.

CAPÍTULO CUATRO

—Te refieres a Chato, ¿verdad? —su madre sonaba bastante sorprendida—. ¿Ese al que llaman Don Pesado? ¿Ese perro que dices que se mete en todo tipo de problemas? ¿El perrito loco del que nos has hablado tanto? ¿Crees que estoy loca? ¿O te has vuelto loca tú?

—Es que...

Lizzie estaba en la oficina de su tía Amanda, hablando por teléfono con su madre. Podía ver la zona de juegos por la ventana. Todos los perros estaban allí y tía Amanda los intentaba calmar. Los dueños iban a llegar pronto para recogerlos y nadie quería llevarse a su casa un perro demasiado agitado.

Chato no ayudaba para nada. Seguía corriendo de un lado a otro, intentando convencer a los otros

26

perros de que jugaran con él. Josie intentaba atraparlo, pero Chato siempre conseguía escaparse. Lizzie soltó una risita mientras los observaba.

—¿Qué pasa? —preguntó su madre por teléfono—. ¿Qué te parece tan divertido?

—La verdad —confesó Lizzie—, es Chato. Lo estoy mirando en este momento. Tienes razón, a veces se mete en líos, pero es tan lindo. Estoy segura de que te vas a enamorar de él, igual que yo, ya verás.

—Aquí el asunto no es enamorarse —dijo su mamá firmemente—. Me gusta mucho nuestra casa y no quiero que nadie la destruya.

—Chato no se dedica a destruir cosas —dijo Lizzie. Por lo menos, eso pensaba ella. Nunca lo había visto sacar el relleno de un juguete, como hacía Max, o arañar la puerta como hacía Fiona, el caniche—. Solo le gusta jugar, eso es todo. Le hará compañía a Chico. Y a Frijolito le encantará.

—Me gustaría tener algo de tiempo para hablar esto en familia —dijo su mamá—. Pero ya sé que si no viene hoy a casa, mañana tendrá que ir al refugio, ¿no?

—Así es —dijo Lizzie. Cruzó los dedos y aguantó la respiración.

—¿Y a los dueños les parece bien que nos quedemos con él?

Amanda ya le había pedido permiso a Ken y a este le había parecido muy bien que Chato fuera a vivir con una familia.

—Sí.

Su madre volvió a suspirar.

—Muy bien. Estoy dispuesta a darle una oportunidad a Chato. Pero tienes que prometerme que...

Lizzie ya se había levantado de su sitio y estaba bailando por toda la oficina, sonriendo. Ya no escuchaba. Sabía exactamente lo que su mamá iba a decir sobre la responsabilidad y esas cosas. Por supuesto que ella sería responsable. ¿No habían sido ella y Charles responsables con todos los cachorritos que habían cuidado en su casa?

—Sí, mamá, claro —dijo cuando terminó de bailar y volvió a agarrar el teléfono—. En una hora más o menos, tía Amanda nos va a dejar en casa. ¡Estoy loca por que lo conozcas! —añadió y colgó antes de que su mamá pudiera decir otra palabra.

Chato no se portó muy bien en el viaje a la casa de Lizzie. Amanda lo había metido en el Pipomóvil, una furgoneta que usaba para llevar y recoger perros. La furgoneta era grande y roja, y en la matrícula decía PERRITOS. Dentro había jaulas para ocho perros o más, si eran pequeños.

En ese momento, los pugs de tía Amanda, Lionel y Jack, estaban en una jaula, mientras que el golden retriever, Pipo, estaba en otra. Fiona, el caniche, estaba en la tercera jaula porque iba a pasar el fin de semana en el Campamento de Pipo. Lizzie se moría de envidia. Le hubiera encantado ir al Campamento de Pipo. Pero a lo mejor ella y Chato podrían ir dentro de muy poco.

Chato estaba solito en otra jaula. Lizzie pensaba que, después de todo lo que había jugado y corrido por la tarde, dormiría una buena siesta. Pero no. Don Pesado seguía jugando. Saltaba de un lado a otro en la jaula, ladrando sin parar y metiendo la patita en las jaulas de los otros perros. Lizzie y

Amanda intentaban ignorarlo con la esperanza de que dejara de portarse mal.

Cuando pararon en un semáforo, Amanda miró a Lizzie y levantó las cejas.

—¿Estás segura de que quieres hacer esto?

Lizzie apenas podía oír por los ladridos de Chato, pero asintió. Ella sí estaba segura, pero no sabía si su familia lo estaría también. No le preocupaban Charles ni su padre ni Frijolito. A ellos les encantaría Chato en cuanto lo vieran. Pero sí le preocupaba su mamá.

Cuando tía Amanda abrió la puerta de atrás de la furgoneta y abrió la jaula, Chato sacó su carita arrugada y estornudó. Después, en cuanto lo puso en el suelo, el perrito salió corriendo hacia Charles y su padre, que estaban en el jardín, y le puso las patitas encima a Charles.

—¡Chato! —dijo Amanda—. ¡No se salta encima de la gente!

Pero Charles se estaba riendo.

—¡Ja! ¡Mucho gusto en conocerte! —dijo, y se

arrodilló para que Chato pudiera lamerle la cara. Charles no paraba de reír.

El padre de Lizzie también se reía. Se sentó al lado de Chato y dejó que también le lamiera la cara a él.

—Eres lindísimo —dijo el Sr. Peterson—. He oído cosas horribles sobre ti. ¡Pero no pueden ser verdad!

Chato movió todo el cuerpo y siguió lamiendo. El Sr. Peterson se rió aun más.

Frijolito se acercó corriendo.

—¡Ito! —dijo, estirando una mano.

Frijolito soltó una de sus divertidas carcajadas. A los perros siempre les gustaba Frijolito. A lo mejor era porque a él le encantaba hacerse pasar por perro. Muchas veces dormía la siesta en la cama del perro y, últimamente, su juguete preferido era uno de los juguetes de Chico, una estrella de mar morada que hacía ruido al apretarla.

—Espera un momento —le dijo Lizzie a Frijolito—. Vamos a asegurarnos de que el Ito está listo para conocerte.

Lizzie sabía que siempre convenía tomar precauciones cuando un cachorrito y un niño pequeño se conocían. Pero antes de que pudiera hacer nada, Chato ya le estaba lamiendo la cara a Frijolito. El niño se rió más fuerte todavía.

—Bueno, pues parece que se van a llevar bien —dijo la Sra. Peterson, quien acababa de salir. Llevaba a Chico de la correa.

Cuando Chato vio a Chico, se alejó de Charles y Frijolito y salió disparado a saludar al pequeño cachorrito marrón.

¡Hola! ¡Hola! ¡Hola! ¿Te caigo bien? ¡Vamos a jugar!

Chico lo miró sorprendido durante un momento. Pero después empezó a tirar de la correa como si quisiera ir a correr con Chato.

—Vamos a llevarlos atrás y dejar que corran en el jardín —sugirió Lizzie.

—Me parece una buena idea —dijo su tía Amanda,

que seguía al lado de la furgoneta, observando toda la escena.

—¿Te puedes quedar a cenar? —preguntó el Sr. Peterson.

—No, nos vamos a la casa de campo —dijo Amanda—. Ya debería estar en camino. En cualquier caso, parece que Chato ha empezado con buen pie en su nuevo hogar.

—Su nuevo hogar provisional —corrigió la Sra. Peterson, aunque sonreía mientras miraba a Chato.

Lizzie sabía que todo iba a salir bien.

CAPÍTULO CINCO

—¿Ya es miércoles? —preguntó la Sra. Peterson apartándose el pelo de la frente y soltando un suspiro de desesperación.

Charles la miró extrañado.

—¡Mamá! Qué tonterías dices. ¡Si es sábado por la noche!

—Ella lo sabe —dijo Lizzie.

La chica miró a su mamá y después a Chato, que intentaba morderse la cola en medio de la cocina. Aunque el perrito había llegado a la casa la noche anterior, realmente parecía que habían pasado más de veinticuatro horas. También parecía que el miércoles siguiente, el día en que Chato iría a pasar un rato en el Jardín de Pipo, estaba muy lejos. Lizzie sabía que su mamá ya estaba deseando descansar del cachorrito.

34

Para ser sinceros, Lizzie sentía lo mismo.

¡Chato era incansable! Se metía en problemas continuamente, causaba problemas, buscaba problemas o creaba problemas. Solo había dormido unas pocas horas aquí y allá, casi siempre en el sofá, que era el único sitio en que la mamá de Lizzie había dicho que no quería ver a ningún perro.

Y, por supuesto, antes de acurrucarse a dormir en el sofá, había tirado cada uno de los cojines al piso y había saltado encima de todos ellos, gruñendo y mordiendo, para enseñarles una lección. ¿Cuál era la lección? Nadie lo sabía, salvo él mismo.

Chato había mantenido ocupada a Lizzie todo el día. Si no lo acariciaba o jugaba con él, el perrito salía corriendo y se metía en todo tipo de líos. Si le quitaba la vista de encima durante un minuto, hacía alguna travesura. Como el día anterior, unas horas después de haber llegado, cuando Lizzie le estaba contando por teléfono a su amiga María que tenían a Don Pesado.

—Espera un momento —dijo Lizzie de pronto, buscando a Chato—. ¿Dónde se habrá metido?

Lizzie buscó por todas las habitaciones del piso de abajo. Al acercarse a las escaleras, oyó unos gruñidos que venían del piso de arriba. Subió las escaleras a toda velocidad.

—¡Chato! —gritó—. ¡Ay, no!

Lizzie encontró a Don Pesado en la habitación de Charles, mirando con cara de inocente.

¿Qué? ¿Hice algo mal?

El perrito estaba rodeado de un mar de ropa limpia, que el papá de Lizzie había dejado apilada ordenadamente encima de la cama de Charles. De su boca colgaban unos calzoncillos.

Lizzie se cruzó de brazos.

Chato movió la colita, abrió la boca y dejó caer los calzoncillos encima del montón de ropa.

—¡Ahhh! —dijo Lizzie, recordando lo que le había dicho su tía Amanda acerca de ignorar el mal comportamiento. De todas maneras, era demasiado tarde para castigar a Chato. Lo malo ya estaba hecho.

Cuando Lizzie terminó de recoger la ropa y apilarla en dos montones ordenados, el de la ropa que seguía "bastante limpia" y el de la que había que volver a lavar, Chato se había vuelto a escabullir.

Lizzie lo vio justo cuando salía del baño, arrastrando una tira muy larga de papel higiénico.

—¡Oye, tú! —gritó Lizzie—. ¡Te la vas a ganar, Don...

¡Mira! ¡Mira! ¿No es genial? Mira cómo se hace cada vez más larga...

Chato la miró con esa cara de inocente que solía poner.

Entonces bajó las escaleras llevando el papel higiénico hasta la sala, donde por fin se terminó el rollo. Mientras Lizzie recogía el papel, Chato se entretenía corriendo en círculos por todas las habitaciones del piso de abajo. Dio tres vueltas, después cambió de dirección y dio tres vueltas más en el otro sentido.

—¡Lizzie! —dijo su mamá desde la sala de estar, donde intentaba pagar unas facturas.

—¡Ya lo sé, mamá! —contestó Lizzie. Su voz se oyó apagada por la gran pila de papel higiénico que llevaba en los brazos—. ¡Ahora mismo lo agarro!

Y eso solo fue el viernes por la noche.

El sábado, Chato se comió el carísimo jabón con olor a limón de la mamá de Lizzie y se pasó el día soltando pompas perfumadas.

El domingo, sacó el relleno de todos los juguetes de Chico.

El lunes, se comió el correo antes de que los padres de Lizzie lo pudieran ver.

Y el martes, Don Pesado se metió en la bañera mientras Lizzie ayudaba a su mamá a bañar a Frijolito.

¡Qué perro más travieso!

El único momento en el que se portaba bien era cuando Lizzie le prestaba atención, como cuando lo tenía en sus brazos y lo acariciaba al lado de la chimenea. En esos momentos, Chato estaba relajado y tranquilo.

Cuando por fin llegó el miércoles y Chato y Lizzie llegaron al Jardín de Pipo, Lizzie le contó a su tía Amanda todas las travesuras del cachorrito.

—Ay, qué espanto —dijo su tía—. Seguro que tu mamá no está muy contenta con la situación.

A Lizzie le pareció ver una ligera sonrisa en los labios de Amanda.

—¡No tiene gracia! —dijo, aunque sabía que algunas de las cosas que había hecho Chato eran bastante divertidas—. Si sigue portándose así, mi mamá no lo va a dejar quedarse en casa. Y nunca le encontraremos un hogar. Mi mamá tenía una compañera de trabajo que estaba interesada en un pug, pero cuando vino a ver a Chato, él se tiró encima de ella y la lamió por todas partes. Después se comió las asas de su bolso mientras ella y mamá tomaban café. Salió disparada. Y mi mamá se molestó mucho.

La sonrisa de tía Amanda desapareció.

—Tienes razón —dijo—. Es grave. Chato tiene que aprender a portarse bien.

Lizzie sintió que se le hacía un nudo en el estómago.

—¿Qué va a pasar con lo del Campamento de Pipo? —preguntó en voz baja. Ya sabía la respuesta.

Tía Amanda movió la cabeza.

—Yo —dijo tía Amanda— en realidad contaba con tu ayuda este fin de semana, ya que voy a tener seis perros. Pero Don Pesado no puede venir. No puedo ocuparme de él con todo lo que tengo.

A Lizzie se le partió el corazón. No tenía ni que preguntarlo. Ya sabía la respuesta. Ella tampoco podría ir. Si Chato se tenía que quedar en casa, ella también, aunque eso significara no poder ir al Campamento de Pipo, algo que deseaba mucho hacer. Al fin y al cabo, se había comprometido a cuidar del cachorrito.

CAPÍTULO SEIS

María, la amiga de Lizzie, la acompañó a su casa después de la escuela. Por el camino, Lizzie la puso al día de las travesuras de Chato.

—Esta mañana, cuando me fui a poner los zapatos, no los encontré —dijo—. Al rato, encontré mi zapato derecho metido debajo de la secadora. El izquierdo estaba en el cuarto de Frijolito, bajo un montón de juguetes. Y estaban mordisqueados. —Levantó un pie para que María lo viera y movió el dedo gordo por el agujero que le había hecho Chato al zapato—. Sé que Chico no lo hizo. Hace ya tiempo que salió de la fase de morder todo.

María asintió.

—Don Pesado. El nombre le va fenomenal. Nunca había oído hablar de un cachorrito tan travieso.

—¿Qué voy a hacer? —preguntó Lizzie—. Mi

mamá no lo va a dejar quedarse mucho más en casa si sigue portándose tan mal.

Lizzie se había quedado despierta hasta muy tarde la noche anterior, repasando sus libros sobre el entrenamiento de cachorritos y perros adultos. No pudo encontrar ni una sola idea que la ayudara con Chato. Casi todos los libros decían lo mismo que Amanda: "Ignora el mal comportamiento". Pero eso no parecía funcionar con Don Pesado.

—No tengo ni idea —dijo María—. Cuando Simba vino a vivir a casa, ya estaba muy bien entrenado.

Simba, un labrador retriever amarillo, era el perro guía de la mamá de María. La mamá de María era ciega, pero gracias a Simba podía ir prácticamente a cualquier sitio y hacer de todo, como cualquier otra persona.

Cuando Simba era un cachorrito, vivió con una familia que le enseñó a tener buenos modales. Después fue a la escuela de perros guía para aprender a cruzar la calle, moverse entre la gente y, lo que es más importante, quedarse tranquilo y tener mucha paciencia cuando no lo necesitaban. Simba había ido a vivir con la familia de María cuando tenía unos dos años, y por aquel entonces ya era un perro muy bueno.

—De una cosa estoy segura —dijo Lizzie—, Chato seguramente nunca podría llegar a portarse tan bien como Simba.

Estaban subiendo las escaleras del porche de la casa de Lizzie y la chica ya podía oír a Chato adentro, ladrando sin parar.

Chico nunca ladraba cuando Lizzie llegaba a su casa de la escuela. Reconocía sus pisadas y esperaba cerca de la puerta. Movía la cola y enseñaba los dientes de alegría, como si estuviera sonriendo. Lizzie tenía que admitir que a veces, bueno, casi siempre, Chico le saltaba encima porque se ponía realmente contento de verla. Pero aun así, nunca ladraba.

—¡Ay, no! —dijo Lizzie mirando a su amiga con cara de desesperación—. ¡Don Pesado me está volviendo loca!

La puerta principal se abrió antes de que Lizzie pudiera poner la mano en el picaporte.

—¡Este perro me está volviendo loca! —dijo su mamá, intentando controlar a Chato. El cachorrito llevaba un collar y una correa de color rojo—. Llévatelo unas cuantas horas. ¡Por favor! Necesito un respiro.

Lizzie tomó a Chato en brazos y le acarició la cabeza. El cachorro soltó un gruñidito. Después estornudó y le lamió la barbilla. Por lo menos ya no ladraba. Lizzie sabía que no debía discutir con su mamá. Después de todo, ella fue la que insistió en llevar a Chato a su casa.

—Vamos al parque un rato —dijo—. ¿Me llevo también a Chico?

—Francamente —dijo la Sra. Peterson—, creo que Chico también necesita un descanso de Chato. —Le dio a María unas barritas de cereales y una botella de jugo—. Aquí tienen su merienda. ¡Las veo luego! —dijo y cerró la puerta.

María y Lizzie se miraron.

—¡Vaya! —dijo María.

—Mi mamá no suele ser así. Es solo que... —se disculpó Lizzie y miró a Chato.

—¡Tu mamá es genial! —dijo María—. Creo que la mía no aguantaría a un perrito como Chato ni un solo día.

Lizzie puso a Chato en el suelo y empezó a caminar calle abajo. El cachorrito no paraba de moverse y de tirar de la correa. Iba de un lado a otro olisqueando todo lo que encontraba en el camino.

¿Qué es eso? ¿Qué es eso? ¡Vamos a verlo! ¡Vamos!

—Sí que tiene energía —dijo María.

—Piensa —dijo Lizzie—. ¡Piensa! Se nos tiene que ocurrir algo. Chato lo pasaría fatal en el refugio. Imagínatelo encerrado todo el día.

Lizzie y María miraron a Chato y se lo imaginaron metido en una jaula. Las dos movieron la cabeza.

Cuando llegaron al parque vallado, Lizzie soltó a Chato para que pudiera correr un rato. Ella y María se sentaron en los columpios, viendo cómo el perrito corría en círculos sobre el pasto.

—Me acuerdo que cuando era pequeña solía venir aquí muy a menudo —dijo Lizzie mientras se columpiaba suavemente hacia delante y atrás—. Le suplicaba a mi papá que me empujara para llegar cada vez más alto.

—¡Yo hacía lo mismo! —dijo María—. Hasta que aprendí a columpiarme yo sola con los pies y ya no necesité que me empujaran.

—¡Eso era lo mejor! —dijo Lizzie—. En aquellos tiempos, podía pasarme horas columpiándome.

Se miraron entre ellas y sonrieron. Entonces Lizzie se echó hacia atrás y empujó el columpio con su cuerpo para que subiera. El viento le dio en la cara.

—¡Yupi! —gritó, moviendo los pies para poder tomar más impulso.

María también se columpiaba.

—Yo era la que más alto se columpiaba de todos los de segundo grado, menos Will Garrett —presumió Lizzie—. Nadie podía columpiarse más alto que Will Garrett, ni correr más rápido. Ni meterse en más problemas. Will no paraba. Era el típico niño que volvía locas a las maestras.

—Nosotros también teníamos un niño así en nuestra escuela. Se llamaba Todd Little. Siempre se estaba haciendo el tonto en clase. Mi maestra me solía decir: "Ignóralo, Todd solo quiere llamar la atención" —dijo María poniendo voz de maestra—. A mí eso siempre me pareció muy raro. Si lo que necesitaba Todd era atención, entonces deberíamos habérsela prestado. Así no habría tenido que tirar el sacapuntas eléctrico a la pecera.

Lizzie clavó los talones en la tierra y se detuvo. Se bajó del columpio de un salto y se quedó de pie mirando a su mejor amiga.

—¡María! —dijo—. ¡Eso es! ¡Ya lo tengo!

CAPÍTULO SIETE

María estaba confundida.

—¿Qué? —preguntó.

Lizzie empezó a caminar muy rápido, como hacía siempre que estaba emocionada.

—Chato solo quiere llamar la atención. ¡Por eso se porta mal! Pero en lugar de prestarle atención, lo único que hacemos es ignorarlo. ¡Por eso sigue dando la lata! —dijo Lizzie.

La chica miró a su amiga María y después a Chato (que en ese momento estaba cavando desenfrenadamente la tierra cerca del subibaja).

—¿Qué? —volvió a preguntar María sin entender.

—¿Qué pasaría si le prestáramos atención antes de que se porte mal? —dijo Lizzie con una sonrisa.

¡Su idea era brillante! ¡Era un genio! Ya se veía

recibiendo el premio a la Mejor Entrenadora de Perros del Año. "Se me ocurrió así, de pronto", diría en su discurso de aceptación. También mencionaría a María, claro. María estaba allí. Se merecía aunque fuera un poquito de crédito.

—¿Lizzie?

Lizzie estaba tan metida en sus sueños que tardó un rato en contestar.

—¿Sí?

—¿Eso que decías de la atención? Creo que Chato necesita un poco de atención ahora —dijo María, y señaló a Chato con la cabeza.

El cachorrito estaba muy ocupado arrancando unas petunias rojas que había cerca de la puerta de entrada del parque.

¡Oye! ¡Mírame! ¡Esto es divertidísimo! Mira qué flores más lindas. ¡Mira cómo sale la tierra! ¡Yupiiii!

—¡Ay, no! —gritó Lizzie, y salió corriendo hacia Chato.

Sin embargo, en cuanto lo agarró, decidió frotarle su carita suave y arrugada en vez de regañarlo.

—Oye, tú —le dijo al oído—. ¡Estás a punto de conseguir que te preste más atención de la que puedes aguantar! —Se sentó con él en el pasto y empezó a acariciarlo—. ¿Quién es el cachorrito más lindo? —canturreó—. ¿Quién?

María se acercó, metió las flores en los agujeros que habían quedado y después puso un poco de tierra alrededor.

—Creo que ni se va a notar —dijo y miró a Chato, que estaba acurrucado en el regazo de Lizzie—. Oye, ya entiendo lo que dices. Cuando le prestas un poco de atención, se queda calmado y contento.

—Y un perrito calmado y contento es un perrito bueno —añadió Lizzie—. Vamos a llevarlo a casa y tirarle una pelota de tenis para que pueda correr y cansarse. Después, lo cepillaré durante un rato. A lo mejor Charles le puede leer un rato más tarde.

A Charles le gustaba leerle a Chico las tiras cómicas. Se había convertido en su actividad preferida de los domingos, después de saborear los panqueques de arándanos que hacía su papá. Aunque no era domingo, le podría leer a Chato alguna tira cómica.

Ese fue el principio de la Operación No Más Don Pesado, como la llamó Charles. Durante toda la semana, la familia Peterson se dedicó a prestarle mucha atención al perrito. Por supuesto, también se aseguraron de hacerle caso a Chico para que no se pusiera celoso. Pero Chato era la estrella de la película y le encantaba serlo.

Un día, Lizzie y María llevaron a Chato al pueblo para presentarle algunos amigos, como Jerry Small, que era el dueño de Libros con Suerte, la mejor librería del mundo. Jerry había adoptado a la madre de Chico, Skipper.

—¡Pero mira qué cosita más linda! ¿Quién es este? —preguntó Jerry cuando María y Lizzie entraron con Chato de la correa.

En la pequeña librería de Jerry podían entrar los perros, de hecho, Skipper prácticamente vivía ahí. Jerry se arrodilló para acariciar a Chato. Entonces el pug tiró de la correa y puso las patas en las rodillas de Jerry.

¡Hola! ¡Hola! ¿Te puedo dar un besito?

—¡Chato! —dijo Lizzie—. ¡Pórtate bien!

Lizzie estaba intentando enseñarle a saludar sin que tuviera que saltar encima de la gente y lamerles la cara.

Jerry llamó a Skipper y un perro que era como una versión de Chico en grande apareció trotando desde atrás del mostrador.

—¡Skipper, ven a conocer a Chato! —dijo Jerry.

Chato seguía lamiéndole la cara a Jerry, pero se detuvo un momento para tocar con su nariz la nariz de Skipper.

A Lizzie le hubiera encantado echar un vistazo a la librería, pero no lo hizo. Se quedó cerca de Chato, asegurándose de que recibiera toda su atención. El cachorrito se portó muy bien, bueno, hasta que Jerry le dio una galleta para perros. Chato se puso tan contento que empezó a dar saltos y tumbó un mostrador con calendarios.

Otro día, Charles y Lizzie llevaron a Chato a conocer a la Sra. Pereira, una señora mayor que vivía en un sitio para personas retiradas llamado La Pradera. La Sra. Pereira y Charles se habían conocido a través de un programa escolar en el que los niños visitaban a personas mayores. La Sra. Pereira fue la primera en adoptar uno de los perritos que cuidó la familia Peterson, un pequeño terrier blanco llamado Copito.

A la Sra. Pereira le pareció que Chato era muy dulce, pero Copito no estaba tan seguro. No paró de ladrarle a Chato. Copito no quería que la Sra. Pereira le hiciera caso a ningún otro perro. Lizzie lo entendía. Aunque ella no podía acordarse, estaba segura de que debió sentirse igual cuando tenía dos años y sus padres llegaron a casa del hospital con su hermano recién nacido, Charles. Si Lizzie hubiera sido un perro, seguro que también le habría ladrado a esa personita que estaba quitándole tiempo con sus padres.

Así que Lizzie acarició a Copito, pero sin dejar de atender a Chato en ningún momento. El cachorrito también recibió mucha atención de todos los residentes de La Pradera. A todos les pareció que era la cosita más linda del mundo y que se portaba muy bien, si no tenían en cuenta el momento en que empezó a morder el bastón de un señor... o cuando le robó la bufanda a otro.

Al día siguiente, Lizzie y su papá llevaron a Chato a la estación de bomberos para que conociera a los compañeros del Sr. Peterson y a Gunnar, el dálmata que los bomberos tenían de mascota en la estación. La visita salió muy bien, si no contamos el momento en que Chato saltó encima de Gunnar como si quisiera que el perro lo llevara a caballo. Esto no le gustó mucho a Gunnar. Los bomberos pensaron que Chato era el perrito más divertido del mundo y no pararon de cargarlo ni un momento.

Pero lo mejor de todo fue cuando a la Sra. Peterson se le ocurrió una idea genial para que Chato no se metiera en problemas cuando la familia no estaba en casa. Como la Sra. Peterson solía trabajar desde casa escribiendo artículos para el periódico *La Gaceta de Littleton*, ella y Chato pasaban mucho tiempo juntos. Un día cuando Lizzie llegó de la escuela, vio que su mamá había puesto a Chato en la mochila que solía usar para llevar a Frijolito cuando era bebé. Era una mochila blanda que su mamá se ponía sobre el pecho. Chato no podía correr ni jugar mientras estaba en la mochila, pero le encantaba estar ahí dentro.

—¡Ronronea como un gato! —dijo la Sra. Peterson mientras le sonreía al pequeño cachorrito y acariciaba su arrugada cabecita.

¡Qué bien se está aquí! ¡No tengo que hacer nada para que me hagan caso! ¡Todo lo que tengo que hacer es relajarme! Creo que voy a dormir otra siesta…

Cuando llegó el miércoles siguiente, Chato era un perrito tan calmado que ya nadie lo llamaba Don Pesado. Lizzie esperaba que se portara bien en el

Jardín de Pipo. Tía Amanda se iba a quedar muy sorprendida cuando viera lo mucho que había cambiado. A lo mejor incluso lo invitaba (¡y a ella también!) a pasar el fin de semana en el Campamento de Pipo.

Solo había un pequeño problema. Chato estaba aprendiendo a portarse bien, lo que quería decir que se acercaba la hora de empezar a buscarle un hogar. La familia Peterson lo estaba cuidando por un tiempo y en un futuro muy próximo iba a tener que decirle adiós para siempre.

CAPÍTULO OCHO

—¡Buena suerte! —dijo la Sra. Peterson y se agachó para darle un beso a Lizzie, a quien acababa de dejar con Chato en el Jardín de Pipo.

—Seguramente la necesitaremos. ¡Gracias! —dijo Lizzie.

La chica miró a Chato, que estaba acurrucado en sus brazos. ¡Parecía tan inocente! Pero Lizzie lo conocía muy bien. Aunque su comportamiento había mejorado mucho durante la última semana, todavía no era perfecto. ¡Aún tenía sus momentos de Don Pesado!

Lizzie solo esperaba que no sucediera nada espantoso esa tarde mientras su tía Amanda estuviera mirando. Lo que más quería era que los invitara, a ella y a Chato, a pasar el fin de semana en el Campamento de Pipo. Llevaba toda la semana soñando con eso. Ahora, Lizzie se despedía diciendo adiós con la mano mientras su mamá se alejaba en el auto. Entonces, mientras avanzaba con Chato hacia la entrada, Lizzie le dio un pequeño discursito al perrito.

—Tú puedes hacerlo, Chato. Sé que puedes —dijo—. Eres un cachorrito muy bueno. Te has portado muy bien durante toda la semana. Bueno, casi toda. Salvo por algún accidente aquí y allá cuando no te hacíamos mucho caso. Ya sabes, como cuando te comiste la revista de pesca de papá o tiraste la lámpara preferida de mamá e hiciste que pegara un grito. Y cuando... bueno, ya está bien. —Lizzie miró a Chato—. Mira, todo lo que tienes que hacer es portarte bien durante tres horas. Eso quiere decir —pensó un minuto, haciendo el cálculo en la cabeza— ciento ochenta minutos de portarse bien.

Chato tiró de la correa hacia la puerta y gruñó impaciente.

¡Oye! No para de hablar y hablar y hablar. Bla,

bla, bla. ¿Cuándo vamos a entrar y ver a todos mis amigos?

Lizzie se rió.

—Muy bien, tienes razón. Es hora de entrar. Solo recuerda que el que nos inviten o no al Campamento de Pipo depende de ti. ¿Lo entiendes?

Chato ladeó la cabeza como si entendiera y Lizzie se volvió a reír.

—Sé que te portarás lo mejor que puedas. ¡Allá vamos!

Lizzie empujó la puerta y los dos entraron.

—¡Pero bueno! ¡Mira quiénes están aquí! —dijo tía Amanda al verlos. Le dio a Lizzie un abrazo y después se agachó para saludar a Chato.

Chato no saltó a lamerle la cara a tía Amanda ni le puso las patas en las piernas. Tampoco empezó a correr en círculos como un loco. Se quedó ahí sentado como Lizzie le había enseñado, moviendo su colita y levantando una patita para saludar.

—¡Madre mía! ¡Qué caballeroso! —Amanda le sonrió a Chato y lo acarició entre las orejas. Después miró a Lizzie—. Tu papá me contó lo mucho que han estado trabajando todos con Chato. ¡Realmente se nota!

Lizzie sintió que se le hinchaba el pecho de orgullo.

—¡No más Don Pesado! —dijo—. Bueno, no siempre.

—Excelentes noticias —dijo su tía Amanda poniéndose de pie—. A lo mejor Chato está casi listo para ir al Campamento de Pipo.

Eso era exactamente lo que Lizzie esperaba oír. Pero en cuanto lo oyó, empezó a preocuparse. ¿Qué pasaría si Chato metía la pata? Sonrió y levantó una mano, con los dedos cruzados.

—¿Qué actividad tenemos hoy? —preguntó a su tía mientras la seguía hasta la zona de juegos.

—¡Pintar con las patas! —dijo Amanda mirando hacia atrás.

Lizzie gruñó, pero no lo suficientemente fuerte para que su tía la oyera. Esas no eran buenas noticias. Pintar con perros era como pintar con niños pequeños, solo que manchando todavía más. ¡Chato podía meterse en tantos problemas haciendo eso! ¿Por qué no le había tocado el día de leer cuentos, cuando todos los ayudantes leían a los perros, o el día de las carreras, cuando todos los perros participaban en carreras en el jardín y quemaban energía?

En fin. Lizzie tendría que quedarse muy cerca de Chato y prestarle mucha atención, lo que significaba que no podría ayudar mucho con los otros perros, pero estaba segura de que su tía Amanda lo comprendería.

La zona de juegos estaba llena de perros. Allí estaban Fiona, Max e incluso Hoss, que había salido de la sala de la siesta. A Hoss le encantaba pintar con las patas.

Amanda y sus ayudantes habían desenrollado una tira larga de papel que se extendía de un extremo al otro de la sala. Ahora estaban poniendo cuencos con pintura roja, amarilla y azul. También intentaban calmar a los perros y asignar a cada uno un lugar en el papel donde pudieran pintar.

Chato tiraba una y otra vez de la correa, pero

Lizzie no lo soltó. Estaba segura de que si lo hacía, empezaría a correr por toda la habitación y dejaría huellas azules, rojas y amarillas por todas partes.

—No, tú no —dijo.

Lo llevó cerca de Hoss y dejó que los dos perros se olieran y se saludaran. ¡Era tan tierno verlos juntos! El gran danés era unas diez veces más grande que Chato, pero siempre trataba al pequeño con mucho cuidado.

—¡Muy bien, todos! —dijo Amanda por encima de los ladridos—. ¡Vamos a pintar!

Lizzie ayudó a Chato a meter una pata en la pintura azul y el perrito la puso encima del papel.

—¿Te parece divertido? —le preguntó.

De momento todo iba bien. El Chato de antes ya hubiera corrido de un lado a otro del papel tres veces. El Chato de ahora estaba calmado y lo pasaba bien. Lizzie notó que su tía los observaba. Se volvió hacia ella y le sonrió. Su tía Amanda le hizo un gesto de aprobación con el pulgar.

Al lado de Lizzie, Hoss había metido una pata en cada color. El perro pintaba huellas amarillas y rojas.

—¡Muy bien! —dijo Lizzie.

Soltó la correa de Chato durante un segundo para limpiarle las patas a Hoss con una toalla de papel.

—¿Por qué no pruebas con el azul? —dijo y empujó el cuenco de pintura azul hacia el gran danés para que Hoss metiera una pata dentro.

—¡Oye! —gritó tía Amanda—. ¡Vigila a Chato!

Lizzie se dio la vuelta y justo en ese momento vio cómo Chato metía la cara en la pintura amarilla.

—¡Ay, no! —gritó.

¡Un segundo sin supervisión y mira lo que había hecho! Sobresaltado, Chato la miró. La pintura amarilla le chorreaba por la cara y sacó la lengua para probarla. Entonces, se sentó como le había enseñado Lizzie, ¡en la pintura roja! Y levantó una pata azul para saludar.

¿Qué? ¿Por qué me miras así? ¿Hice algo malo?

Lizzie gruñó. Don Pesado se quedaría sin ir al Campamento de Pipo, ¡y ella también!

Pero a Lizzie le esperaba una sorpresa. Al final del día, su tía Amanda se acercó a darle un regalo de despedida a Chato, una galletita para perros, y después le dio a Lizzie un fuerte abrazo.

—A Chato le falta mucho por aprender —dijo.

—Ya lo sé —contestó Lizzie muy triste—. Viste lo que hizo con la pintura...

—No fue tan grave —dijo su tía Amanda—. El comportamiento de Chato ha mejorado mucho. Has trabajado mucho y te mereces un premio. Si a tus padres les parece bien, ¿qué te parecería venir al Campamento de Pipo este fin de semana con Chato?

CAPÍTULO NUEVE

—¿Falta mucho?

—¡Lizzie! ¿Qué te dije? —Amanda sonrió por el espejo retrovisor—. ¡No me vuelvas a preguntar cuánto falta para llegar! No falta mucho, te lo prometo.

Lizzie le sonrió a su tía e hizo como si se cerrara los labios con un cierre, pero sabía que le iba a costar mucho no volver a preguntar. No podía creer que por fin visitaría el Campamento de Pipo. Allí estaba, en el asiento de atrás del Pipomóvil, detrás de su tía Amanda y de su tío James. También iban seis perros, incluyendo los tres de su tía Amanda, más Chato, Fiona y Max, cuyos dueños habían salido el fin de semana.

Lizzie miró el paisaje por la ventanilla y pensó en el miércoles anterior, cuando su tía la había invitado a ir al campamento con Chato. Después de eso le pareció que el jueves y el viernes tardaron años, décadas, incluso siglos en pasar. Lizzie no sabía que los días podían pasar tan despacio, fue incluso peor que el día antes de Navidad. Pero por fin, el viernes por la tarde, después de cenar, el Pipomóvil partió de la casa de la familia Peterson.

Toda la familia salió a despedir a Lizzie y Chato. Charles protestó un poco porque él no podía ir. Por suerte, Frijolito era demasiado pequeño para saber lo que pasaba. Si hubiera sabido qué era el Campamento de Pipo, hubiera llorado desconsoladamente. Mientras tío James metía a Chato en la furgoneta, el padre de Lizzie y Amanda se despidieron con un saludo secreto de manos que inventaron cuando eran niños. La mamá de Lizzie se despidió de su hija con un abrazo.

—¡Que te diviertas! —le susurró al oído—. ¡Y vigila a Don Pesado!

Lizzie no necesitaba que se lo recordaran. Quería que la volvieran a invitar al Campamento de Pipo muchas veces más. Iba a hacer todo lo posible para que el cachorrito se portara bien ese fin de semana. Pensaba prestarle mucha atención ya que eso parecía funcionar.

Ahora, en la furgoneta, tía Amanda volvió a mirar a Lizzie.

—Lizzie —dijo—, ahora que Chato se está portando mucho mejor, ¿no crees que ha llegado el momento de empezar a buscarle un hogar permanente?

Lizzie suspiró.

—Supongo que sí —respondió—. Bueno, sé que tienes razón, pero lo voy a extrañar. Es un perro genial. —Sacó la cámara de su mochila—. Pienso tomarle muchas fotos para hacer un cartel cuando vuelva a casa.

Lizzie era famosa en su casa por lo buena que era en la computadora y haciendo carteles. Cada vez que su familia había buscado hogares para los perritos que cuidaba, Lizzie había hecho carteles muy creativos que luego ponía por todo el pueblo.

—Buena idea —dijo su tío James, dándose la

vuelta para mirar a Lizzie—. Esa cara tan simpática seguro que llama la atención.

—Es bello —dijo su tía Amanda—. Bueno, en realidad todos los pugs son adorables, pero Chato tiene algo especial.

Lizzie se echó para atrás en su asiento e intentó concentrarse en el cartel que iba a hacer para Chato en lugar de pensar en cuánto faltaba para llegar al Campamento de Pipo. Casi se sorprendió cuando la furgoneta se detuvo y, un momento más tarde, su tía Amanda anunció:

—¡Ya estamos aquí!

Lizzie salió de la furgoneta y respiró hondo el aire fresco y limpio del campo. Estaba oscuro, pero una media luna brillante y miles de estrellas iluminaban el cielo. Podía oler los abetos y al detenerse para escuchar un momento, Lizzie oyó correr el agua del río. La cabaña de tía Amanda y tío James estaba en un claro y tenía un aspecto cálido y acogedor. Lizzie sonrió. Sabía que le iba a encantar el Campamento de Pipo.

Tío James abrió la puerta de atrás de la furgoneta.

—¡Ay! —dijo.

Amanda y Lizzie se acercaron a mirar. Todos los perros estaban dormidos en sus jaulas. Chato y los otros dos pugs compartían la misma jaula y estaban acurrucados formando un montón. Cuando Chato oyó voces, abrió un ojo y los miró somnoliento, arrugando su frente aterciopelada.

—¡Qué lindos! —dijeron Lizzie y su tía.

—Nunca había visto a Lionel y Jack tan tranquilos con otro pug —susurró Amanda—. Casi me da pena despertarlos.

Pero para entonces, ya todos los perros se estaban moviendo. Lizzie ayudó a sus tíos a sacar y pasear a los perros y después los metieron a todos en el Porche de los Perros, una zona con mosquitera para descansar, llena de almohadones, colchones y mantas. Lizzie se metió en su cama en el cuarto de huéspedes. Pensaba que estaba demasiado emocionada para dormir, pero se quedó dormida inmediatamente.

El Campamento de Pipo resultó ser tan divertido como Lizzie se lo había imaginado. El sábado empezó con pastelitos de plátano y nueces para las personas y pastelitos de carne picada para los perros. Después de desayunar, Lizzie y su tía Amanda llevaron a todos los perros al río. Los perros grandes nadaron en la parte más profunda mientras que los pequeños chapoteaban y jugaban en la orilla.

A Chato le encantaba recoger los palos que Lizzie tiraba al agua. El perrito movía las patas frenéticamente, gruñía y ladraba feliz mientras competía con Jack y Lionel por el gran premio. Después, los tres pugs salían a la orilla del río y se sacudían, empapando a Lizzie y a su tía Amanda con el agua fría y haciéndolas gritar.

Después de nadar, Lizzie y Amanda llevaron a los perros a dar un largo paseo por la zona vallada alrededor de la cabaña. Cuando volvieron, los perros estaban prácticamente secos y tío James ya tenía el aperitivo preparado. Entonces hicieron manualidades con los perros y los ayudaron a meter las patas en barro para dejar sus huellas en papel y dárselas después de recuerdo a sus dueños. Luego llegó la hora del masaje, seguido de la siesta en el Porche.

Por la tarde, los perros dieron otro largo paseo, jugaron de nuevo en el río y saltaron en la cama elástica. Mientras tía Amanda preparaba la cena, fue la hora de la música, y tío James tocó la guitarra y cantó canciones sobre perros. Lizzie llevó la cámara todo el día y sacó docenas de fotos de Chato divirtiéndose con sus nuevos amigos.

Chato estaba recibiendo mucha atención y se mantenía ocupado con todas las actividades. ¡Se estaba portando perfectamente! Lizzie empezaba a pensar que Don Pesado ya se había ido para siempre... hasta que llegó el domingo por la tarde.

A la hora de la siesta, Chato parecía estar muy cansado, así que Lizzie lo dejó solo en el Porche de los Perros mientras ella y su tío James jugaban con los otros perros. Un grave error. Su tía Amanda fue la que descubrió al cachorrito en medio de su gran destrozo.

—¡Chato! —gritó al ver lo que había hecho.

Lizzie y su tío corrieron a verlo.

—¡Ay, no!

Lizzie no podía creer lo que veía. ¿Cómo un perrito tan pequeño había podido crear un destrozo tan grande en tan poco tiempo? Había hecho jirones todas las mantas, almohadas y colchones. Había plumas por el aire. Y Chato estaba ahí, en medio de todo, mirándolos con ojos de angelito.

¡Estaba aburrido! ¡Estaba muy solo! Así que tenía que entretenerme un poco. ¿Qué esperaban que hiciera?

Tío James parecía estar a punto de soltar una carcajada.

Tía Amanda movió la cabeza.

—Don Pesado ha vuelto —fue todo lo que dijo. Entonces le dio una escoba a Lizzie y una bolsa de basura.

La vuelta a casa en el Pipomóvil la hicieron en silencio. Lizzie sabía que su tía Amanda estaba muy

72

decepcionada con Chato. Lizzie también lo estaba. Justo cuando parecía que se estaba convirtiendo en el tipo de perro que todo el mundo iba a querer, había vuelto a sus viejas fechorías. ¿Cómo le iba a encontrar Lizzie un hogar permanente?

CAPÍTULO DIEZ

Una vez de vuelta en su casa, Lizzie no le quitó la vista de encima a Chato. Después de la escuela, el lunes y el martes, se quedó en su cuarto con él mientras hacía un cartel. ¡SE BUSCA!, puso en la parte de arriba del cartel. En medio había una foto de Chato con un aspecto de lo más inocente y adorable. Debajo de la foto puso: "Se busca un buen hogar para este cachorrito que a veces es travieso. Nombre: Chato. Conocido también como Don Pesado". Añadió cuatro fotos más de Chato jugando en el campamento. A lo mejor con un cartel divertido podía encontrar el hogar perfecto para él, con gente que entendiera que era solo un cachorrito y que los cachorritos no eran siempre perfectos.

Lizzie no pensaba llevar a Chato al Jardín de Pipo el miércoles. Tenía el presentimiento de que su tía

Amanda ya había tenido suficiente con el cachorrito pesado. Pensaba pasar la tarde poniendo carteles con la ayuda de María. Por eso se sorprendió mucho cuando el martes después de cenar sonó el teléfono y su madre le dijo que era su tía Amanda, que quería hablar con ella.

—Solo quería asegurarme de que mañana vas a traer a Chato al Jardín —dijo su tía cuando Lizzie contestó el teléfono.

—¿De verdad? ¿Podemos ir? —preguntó Lizzie.

—Sí, claro —dijo su tía—. Cuento con tu ayuda y... bueno, para ser sincera, echo de menos a Don Pesado.

—Te prometo que se portará bien —dijo Lizzie.

Amanda se rió.

—Creo que nadie puede prometer eso. Pero espero que lo vigiles y le prestes mucha atención.

—Lo haré —prometió Lizzie.

Y realmente lo hizo. Observó a Chato como si fuera un halcón durante toda la tarde. Y notó que su tía Amanda también lo observaba. Cada vez que Lizzie levantaba la vista, ahí estaba su tía mirando a

Chato. Aunque ese día había mucho trabajo en el Jardín de Pipo, tía Amanda no les quitó la vista de encima.

Eso puso muy nerviosa a Lizzie.

Ella sabía que Chato ya había cometido muchas faltas. Si volvía a hacer algo realmente malo, tía Amanda lo echaría para siempre. Y si Chato no podía pasar una tarde a la semana en el Jardín de Pipo, Lizzie sabía que a su mamá se le iba a agotar la paciencia ¡y lo echaría de casa! Chato podía acabar en Patas Alegres, metido en una jaula mientras esperaba a que alguien lo adoptara, siempre y cuando en el refugio hubiera lugar para él. Últimamente había estado lleno. Entonces ¿adónde iría Chato?

Sería mucho mejor que Lizzie le encontrara un hogar permanente. Había llevado los carteles para enseñárselos a Amanda, pero su tía había estado demasiado ocupada toda la tarde y no los pudo ver hasta que los dueños recogieron a casi todos los perros.

Era un día especial en el Jardín de Pipo, ¡el día del baño! Si los dueños encargaban el servicio,

Amanda y sus ayudantes debían bañar a los perros. Lizzie sabía que lo mejor era que Chato no se acercara al baño. Estaba segura de que el perrito ocasionaría problemas si se encontraba muy cerca del agua.

Aun así, Don Pesado hizo de las suyas un par de veces antes de que terminara la tarde.

La primera vez fue justo después de que su tía Amanda bañara a sus pugs, Lionel y Jack. Mientras Lizzie ayudaba a secar a Jack, Chato convenció a Lionel de que saliera corriendo por la trampilla que daba al jardín y se revolcara en la tierra.

¡Vamos! ¡Vamos! Hueles demasiado bien. ¿Es que no quieres volver a oler a perro? ¡Vamos a jugar!

Después, mientras Lizzie ayudaba a dar el segundo baño a Lionel, Chato y Jack empezaron a pelear debajo de las literas de la sala de la siesta, dónde había mucho polvo.

¡Achís! ¡Achís! Dendo ado en da dariz.

77

A Lizzie le parecía genial que los tres pugs se llevaran tan bien. Y tía Amanda parecía estar de acuerdo. Por lo menos, no se enojó demasiado con Chato, que no dejaba de estornudar. Solo sonrió y movió la cabeza.

—¡Los pugs siempre serán pugs! —dijo mientras los agarraba y los llevaba al cuarto del baño para darles una ducha rápida.

Después de eso, Lizzie llevó a Chato a la Zona de Juegos, donde los ayudantes de Amanda intentaban mantener a los otros perros ocupados con el juego de "busca la galleta". Mientras Lizzie intentaba esconder unas galletas debajo de las sillas o de los almohadones, Chato encontró la caja de las galletas. Y justo en el momento en el que su tía Amanda entró a ver qué hacían, Chato tiró la caja con el hocico, haciendo que las galletas salieran rodando por todo el piso y que los otros perros se las comieran.

¡Bravo! ¡Mira lo que hice! ¿A que soy el perro más listo del mundo?

Fue una tarde muy larga. Cuando su tía Amanda puso el cartel de CERRADO en la ventana y cerró la puerta principal del Jardín de Pipo, Lizzie estaba agotada.

Lizzie se dejó caer en una silla, sujetando a Chato en sus brazos. Amanda se acercó y se sentó a su lado.

—Lo has visto todo, ¿verdad? —preguntó Lizzie muy triste.

Amanda asintió.

—Chato sigue siendo muy travieso —dijo—. Todavía tiene que madurar y aprender mucho. Pero tú encontraste la llave para hacer que se portara mejor. Todo lo que necesita es atención, y mucha. —Entonces cambió de tema—. ¿No tenías algo que querías enseñarme, Lizzie? —preguntó—. ¿Unos carteles que habías hecho?

Lizzie abrió la mochila y sacó los carteles. Suspiró al dárselos a su tía Amanda.

—Espero poder encontrar un hogar para Chato.

Amanda miró el cartel que tenía en la mano.

—Este está muy bien —dijo. Entonces lo rompió

en dos y le dio los dos trozos a Lizzie—. Pero creo que no deberías ponerlo.

Lizzie se quedó congelada.

—¿Qué? ¿Por qué?

—Porque tu tío James y yo estuvimos hablando anoche. Nos dimos cuenta de que nos hemos enamorado de Chato, aunque a veces sea un pesado. Lionel y Jack también lo quieren mucho. Hoy lo he estado observando todo el día y he tomado una decisión.

—¿Quieres decir que lo vas a echar? —preguntó Lizzie confundida.

—No, hablo de adoptarlo. Hemos decidido que en nuestra familia haya tres perros pug. —Estiró los brazos para agarrar a Chato—. ¿Qué te parece, Chato?

Chato gruñó, olisqueó y estornudó. Después le lamió la barbilla a Amanda.

Lizzie se rió.

—¡Genial! —dijo.

Lizzie se echó hacia atrás en su silla y suspiró feliz mientras miraba a su tía con el pequeño pug. Chato había encontrado el hogar perfecto con alguien que le iba a prestar toda la atención que necesitaba y se merecía. Tendría dos hermanos pug con los que jugar y de quienes podría aprender modales. Y lo mejor de todo era que ella podría verlo cada vez que quisiera ¡en el Jardín de Pipo o en el Campamento de Pipo!

SOBRE LOS PERROS

Algunos perros tienen MUCHA energía y a veces puede resultar muy difícil enseñarles los modales que necesitan para ser buenas mascotas y buenos miembros de familia. ¡Ten paciencia! A veces los cachorritos solo tienen que crecer un poco. Otras veces necesitan mucha atención, como Chato. Los cachorritos se portan mejor cuando saben que los quieren.

También es importante que todos los miembros de la familia traten al cachorrito de la misma manera y con las mismas normas. Si tu hermano deja que el perro le salte encima cuando tú y tus padres intentan enseñarle que no debe hacerlo, el cachorrito se sentirá confundido.

No olvides que las clases para cachorritos suelen ser muy buenas para que tu mascota aprenda buenos modales y para que tú y tu familia aprendan a ser buenos dueños.

Querido lector:

Cuando Django era un cachorrito, lo llevé a clases. Aprendió a jugar bien con otros cachorritos y aprendió muchas cosas como sentarse, tumbarse y andar con la correa. ¡Pero a veces era un cachorrito muy travieso! Una vez hizo un agujero en mi alfombra preferida. También robaba comida siempre que podía. A pesar de eso, cuando Django se hizo mayor, se convirtió en un gran perro.

Saludos desde el hogar de los cachorritos,

Ellen Miles

ACERCA DE LA AUTORA

A Ellen Milles le encantan los perros y le encanta escribir sobre sus distintas personalidades. Ha escrito más de veintiocho libros, incluyendo la serie Cachorritos, la serie *Taylor-Made*, el libro *The Pied Piper* y otras obras clásicas publicadas por Scholastic. A Ellen le gusta salir al aire libre todos los días, pasear, montar en bicicleta, esquiar o nadar, dependiendo de la estación del año. También le gusta mucho leer, cocinar, explorar su hermoso estado y estar con sus amigos y familia. Vive en Vermont.

¡Si te gustan los animales, no te pierdas las otras historias de la serie Cachorritos!